KB076680

SAMSUNG

들어가며

우리가 매일 사용하는 물건은 어떤 것이 있을까요? 여러가지가 있겠지만 스마트폰은 그중 가장 대표적인 물건일 것입니다. 현대인들은 스마트폰 알람을 통해 눈을 뜹니다. 잠에서 깬 후 밀린 연락들을 확인하고, 밥을 먹으며 스마트폰으로 영상을 시청하기도 합니다. 집 밖으로 나가서는 모바일 페이로 결제를 하며, 모르는 길은 스마트폰을 활용해 찾아봅니다. 또한 멋진 카페에 가서는 자신의 일상을 SNS에 공유하기도 하고, 필요한 정보를 인터넷을 통해 찾아보기도 합니다. 일과를 끝낸 후 집에 돌아와서는 스마트폰으로 노래를 들으며 쉬기도 하고, 잠에 들기 전 침대에서 OTT를 시청하기도 합니다. 그리고 다음 날에는 다시 스마트폰 알람을 통해 눈을 뜹니다.

이렇게 우리는 매일 스마트폰을 손에 쥐고 많은 시간을 보냅니다. 그런데 우리는 이러한 스마트폰을 얼마나 잘 활용하고 있을까요? 물론 스마트폰에 관심이 많고 기능을 최대한 많이 활용하는 분들도 계실 것입니다. 그런 반면 스마트폰의 기능에 대해 잘 알지 못해서 사용하고 싶어도 사용하지 못하는 분들도 많이 계실 것입니다.

스마트폰이 대중화된 지 어느덧 10년이 넘는 세월이 흘렀습니다. 2010년대가 되며 스마트폰 시장은 굉장히 성장했고 어느덧 남녀노소, 모든 사람들이 스마트폰을 사용하는 세상이 되었습니다. 그리고 그 시간 동안 스마트폰의 성능은 비약적으로 발전했고, 사용자 친화적인 기능들 역시 많이 추가되었습니다.

하지만 그럼에도 스마트폰의 기본적인 기능들인 전화, 문자, 인터넷 정도만 활용하는 분들이 여전히 많이 계십니다. 매일 사용하는 스마트폰임에도 이를 온전히 활용하지 못하고 기능의 일부만 활용하는 것은 다소 안타까운 일입니다. 스마트폰의 다양한 기능들을 활용한다면 우리의 일상이 좀 더 스마트해질 수 있을 거라 생각됩니다. 저희는 이 책자가 그러한 목표에 조금이나마 도움이 되길 바라면서 집필했습니다.

2023년 12월
팀 우주 지음

Contents

제공 삼성전자

한국, 69%

여러분은 어떤 스마트폰을 사용하고 계시나요? 아마 대부분의 독자분들은 삼성의 갤럭시 스마트폰을 사용하거나 애플의 아이폰을 사용하고 계실 것입니다. 한국갤럽조사연구소의 통계에 따르면 2023년 대한민국의 69%의 사람들은 삼성 갤럭시 스마트폰을 사용하고 23%의 사람들은 애플의 아이폰을 사용합니다. 현재 젊은 세대, 소위 말하는 MZ세대를 기준으로 국내 아이폰 사용자가 늘어나고 있는 것은 사실이지만 여전히 삼성 갤럭시 스마트폰의 이용자가 많은 것이 사실입니다.

제공 Unsplash

이 책은 삼성 갤럭시 스마트폰을 사용하시는 분들을 위해 제작되었습니다. 현재 대한민국의 스마트폰 사용자 중 갤럭시 스마트폰의 사용자가 아이폰 이용자에 비해 2배 이상 많기 때문에 더 많은 분들에게 도움이 되고자 갤럭시를 중심으로 기획되었습니다. 갤럭시 유저분들은 갤럭시 스마트폰이 가진 기능과 활용에 대한 인사이트를 얻을 수 있을 것입니다.

그렇다고 아이폰 유저에게 도움이 되지 않는 것은 아닙니다. 아이폰 유저 역시 책을 읽으며 스마트폰의 활용에 대해 생각해 볼 수 있고, 인사이트를 얻을 수 있을 것입니다. 향후 스마트폰 기변을 준비하실 때 갤럭시와 아이폰의 장단점에 대해 스스로 판단해 볼 수 있고, 책에 소개된 기능들을 바탕으로 아이폰의 유사한 기능을 활용하실 수도 있을 것입니다.

책 활용법

이 책을 98% 활용할 수 있는 방법

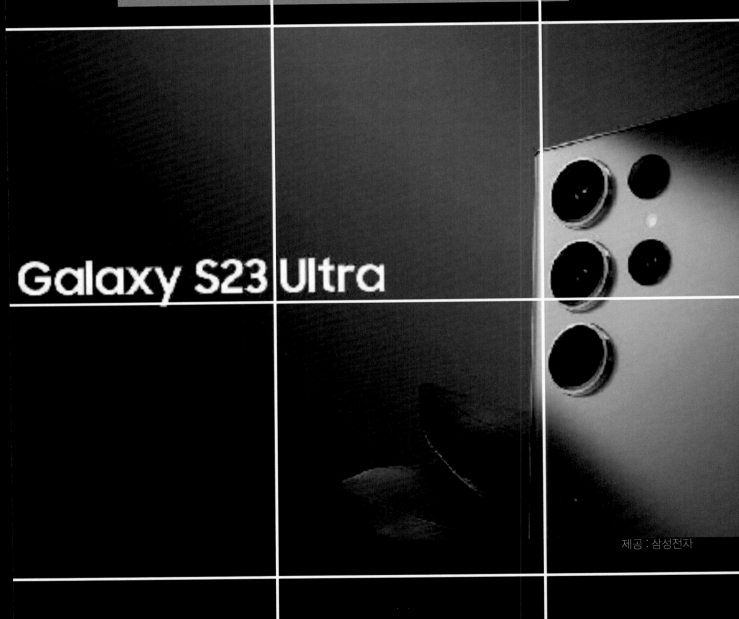

Galaxy S23 Ultra

제공 : 삼성전자

책의 구성 역시 갤럭시 유저분들이 따라갈 수 있도록 전개됩니다. 책이 본격적으로 시작되는 파트 4부터는 갤럭시를 구매할 때 알면 좋은 팁들을 전해드릴 예정입니다. 이를 통해 보다 합리적으로 갤럭시 스마트폰을 구매할 수 있을 것입니다.

그리고 파트 5에서는 갤럭시를 구매했을 때 미리 하면 좋은 초기 세팅에 대해 설명드리겠습니다. 초기에 적절한 세팅들을 파악하여 향후 스마트폰 사용 과정에서 편의성을 높일 수 있을 것입니다.

파트 6에서는 현재 출시된 갤럭시 라인업들을 정리하여 설명드릴 예정입니다. 갤럭시 브랜드는 10년 이상 지속되며 다양한 라인업들이 파생되었습니다. 이 파트를 통해 현재까지 어떤 갤럭시 라인업이 존재했는지, 그리고 현재 어떤 라인업들이 존재하는지 요약할 예정입니다. 이를 통해 독자분들은 스스로에게 어떤 갤럭시가 적합한지 생각해 볼 수 있을 것 입니다.

그다음 파트 7에서는 갤럭시 폰을 꾸밀 수 있는 유용한 어플들을 안내해 드릴 것입니다. 갤럭시 스마트폰은 안드로이드 운영체제에 기반을 두기에 상대적으로 자유로운 커스텀이 가능합니다. 이 때 파트5 갤럭시 초기 세팅에서 간략히 다루었던 Good Lock에 대해 좀 더 상세하게 설명드리고자 합니다. Good Lock의 다양한 어플들을 통해 독자분들은 취향에 맞게 자신의 갤럭시 스마트폰을 커스텀 할 수 있을 것입니다.

책의 마무리 파트인 파트 8에서는 폴더블 폰에 관한 이야기를 해보고자 합니다. 현재 삼성의 폴더블 폰이 얼마나 발전했는지, 어떤 점이 더 개선되면 좋을지 생각을 나누고자 합니다. 이를 통해 폴더블 폰을 고민하고 계신 분들이라면 향후 폴더블 폰의 구입 결정에 도움을 받을 수 있을 것입니다.

끝으로 파트 9와 파트 10은 부록입니다. 부록 파트에서는 독자분들이 스스로의 추억을 되새겨 볼 수 있도록 안내해 드릴 예정입니다. 먼저 파트9는 갤럭시와 함께한 인생 스토리입니다. 갤럭시 스마트폰이 대중화된 지 어느덧 10년이 넘는 시간이 흘렀습니다. 그리고 그 10년이 넘는 시간 동안 갤럭시 스마트폰은 많은 변화를 거쳤습니다. 이 파트를 통해 독자분들은 본인의 사용 경험을 되새겨 보는 시간을 가질 수 있을 것입니다. 파트 10에서는 갤럭시 레전드 기기에 대해 다룰 예정입니다. 이 파트는 지난 10년이 넘는 시간 동안 갤럭시 브랜드에서 좋은 평가를 받은 기기들을 모아 정리하는 파트입니다. 이를 통해 독자분들은 자신이 어떤 갤럭시를 좋아했었는지, 자신이 갤럭시를 왜 좋아했는지에 대해 다시 생각해 볼 수 있을 것입니다.

갤럭시 노트 8로 찍은 사진

이걸 모르고
갤럭시를 산다고?

여러분은 어떻게
스마트폰을 구매하시나요?

대리점을 통해 통신사와 계약을 맺어 스마트폰을 구매하시는 분들도 계실 것이고, 인터넷에서 자급제 스마트폰을 구매하셔서 사용하시는 분들도 계실 것입니다.

이번 챕터에서는 자급제 스마트폰을 구매하시는 분들에게 특 유용할 만한 정보들을 전해드릴 것입니다.

제공 삼성전자

14

최신 스마트폰을
누구보다 빨리 싸게 구매하는
방법에 대해 알아보겠습니다.

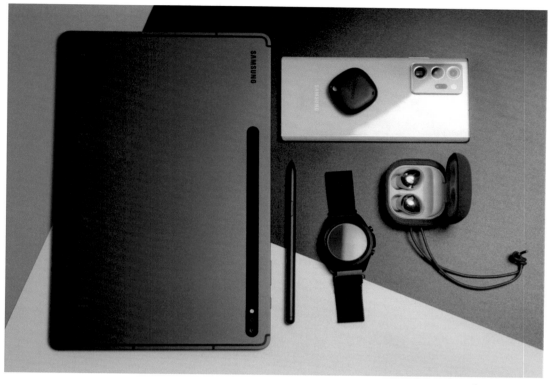

제공 Unpalash

사전예약, 활용해보셨나요?

사전예약 제도는 스마트폰이 출시하기 전에 미리 구매를 예약하는 제도입니다.

그런데 갤럭시 스마트폰의 경우 사전 예약 구매 시 주는 혜택이 제법 매력적입니다. 이를 플래그십 갤럭시 스마트폰인 갤럭시 S23 시리즈를 통해 설명드리겠습니다.

제공 삼성전자

혜택 1. Double Storage 업그레이드

제공 : 삼성전자

갤럭시 S23 시리즈의 사전예약 첫 번째 혜택은 'Double Storage 혜택'입니다. 이는 스마트폰의 용량을 두 배로 받을 수 있는 이벤트입니다. 즉, 갤럭시 S23 256GB를 산다면 512GB를 받을 수 있는 혜택입니다. 갤럭시 S23 울트라 모델의 경우 256GB의 출고가가 159만 9400원입니다. 반면 512GB 모델의 경우 출고가가 172만 400원입니다. 사전 예약 시 256GB의 가격으로 512GB를 구매할 수 있기에 12만 1000원의 이익이 있는 셈입니다. 만약 높은 용량의 갤럭시를 구매할 예정이시라면 사전 예약을 생각해볼 필요가 있습니다.

※Double Storage 혜택은 제품 수령시 구매처에서 512GB 단말 수령이 가능합니다.

혜택 2. 스마트싱스 스테이션 증정 쿠폰 또는 Galaxy Buds2 Pro 할인

• 해당 이미지는 예시 상품입니다
제공 : 삼성전자

갤럭시 S23 시리즈의 사전예약 두 번째 혜택은 '스마트싱스 스테이션 무상증정 쿠폰 또는 Galaxy Buds2 Pro 구매 쿠폰'입니다. 이는 두 가지 혜택 중 한 가지를 선택할 수 있는 혜택입니다. 스마트싱스 스테이션의 가격은 삼성전자 공식 홈페이지 기준 9만 9800원입니다. 갤럭시 버즈2 프로 구매 쿠폰의 경우 9만 9000원을 할인받을 수 있습니다. 거기에 갤럭시 버즈2 프로 구매 쿠폰의 경우 랜덤 케이스 1종을 받을 수 있습니다. 두 번째 혜택을 9만 9000원 정도로 잡았을 때 첫 번째 혜택과 합하면 총 22만원 정도의 혜택을 받을 수 있는 셈입니다.

혜택 3. 사전예약 혹은 중고폰 판매 보상

여기에 사전예약 이벤트나 출시 초기에는 민팃 추가 보상도 받을 수 있습니다. 민팃은 중고폰 판매 ATM 플랫폼입니다. 만약 갤럭시 S23 시리즈를 사고 이벤트에 해당되는 갤럭시 모델을 민팃에 판매하면 추가금을 받을 수 있는 것입니다. 사전예약 이벤트나 출시 초기 이벤트로 기종 별 추가 보상을 적게는 1만원에서 많게는 15만원까지 추가로 받을 수 있습니다. 본인이 이벤트에 해당되는 기종을 사용하고 있다면 민팃 이벤트 역시 고려해 볼 만합니다. 그렇기에 사전예약 혜택을 최대로 조합한다면 첫 번째 혜택과 두 번째 혜택의 합 22만원과 민팃 혜택 15만원을 합하여 최대 37만원까지도 혜택을 받을 수 있는 것입니다. 물론 이와 같은 혜택은 매년 변동될 가능성이 높습니다.

하지만 대개 사전예약에는 많은 혜택이 제공되며,
사전예약 혜택에 참고할 만한 자료로 활용하시면 됩니다.

독자분들 스스로가 사전예약 혜택을 확인하고
이를 적용받는 것이 적합한지 고민해보시길 바랍니다.

학생인데
안 쓰면
바보 되는
스토어

1성

삼성전자 제품 교육할인 및
기본 이벤트 참여 가능

2성

삼성전자 제품 교육할인 및 기본이벤트 참여 가능
2성 이상만 할 수 있는 스페셜 이벤트 참여 가능

3성

삼성전자 제품 교육할인 및 기본이벤트 참여 가능
3성 이상만 할 수 있는 스페셜 이벤트 참여 가능

갤럭시 캠퍼스를 들어 보셨나요?

갤럭시 캠퍼스는 삼성전자의 공식 학생 커뮤니티이자 교육 할인몰입니다. 만약 고등학생이거나 대학생, 교원, 교직원이라면 삼성전자의 제품을 적게는 10%에서 많게는 44%까지 할인받을 수 있습니다. 갤럭시 캠퍼스 혜택 역시 앞서 사전예약 혜택과 마찬가지로 갤럭시 S23 시리즈로 설명드리도록 하겠습니다.

갤럭시 S23 울트라 모델의 경우 512GB의 기준가가 172만 400원입니다. 이때 갤캠스 교육 할인으로 32만 6400원을 할인받을 수 있습니다. 그렇게 되면 139만 4000원에 512GB를 구입할 수 있게 됩니다. 거기에 삼성카드 금액대별 결제일할인 혜택을 사용하면 추가로 6만원을 더 할인받을 수 있어 133만 4000원까지 할인을 받을 수 있습니다. 게다가 Npay 포인트 쿠폰도 받을 수 있어 체감 가격은 더 낮아지게 됩니다. 즉, 정가로 구매하는 것보다 훨씬 더 많은 할인과 혜택을 받을 수 있습니다.

뿐만 아니라 갤럭시 캠퍼스는 삼성전자에서 공식적으로 운영하는 마켓이기에 삼성닷컴 단독 컬러 혜택 역시 누릴 수 있습니다. 본래 갤럭시 S23 울트라의 컬러는 4종으로 그린, 라벤더, 크림, 팬텀 블랙입니다. 그런데 삼성

닷컴에서 구매할 경우 그라파이트, 라임, 스카이 블루, 레드 색상도 함께 선택할 수 있습니다. 즉, 색상 선택의 폭이 4종에서 8종으로 넓어지는 것입니다. 만약 삼성닷컴 단독 컬러 중 마음에 드는 색상이 있다면 갤럭시 캠퍼스 혜택은 더더욱 생각해 볼 가치가 있을 것입니다.

*2023년 10월 9일 기준

삼성닷컴 단독컬러

그라파이트 　라임 　레드 　스카이 블루

일반 컬러

그린 　팬텀 블랙 　라벤더 　크림

제공 : 삼성전자

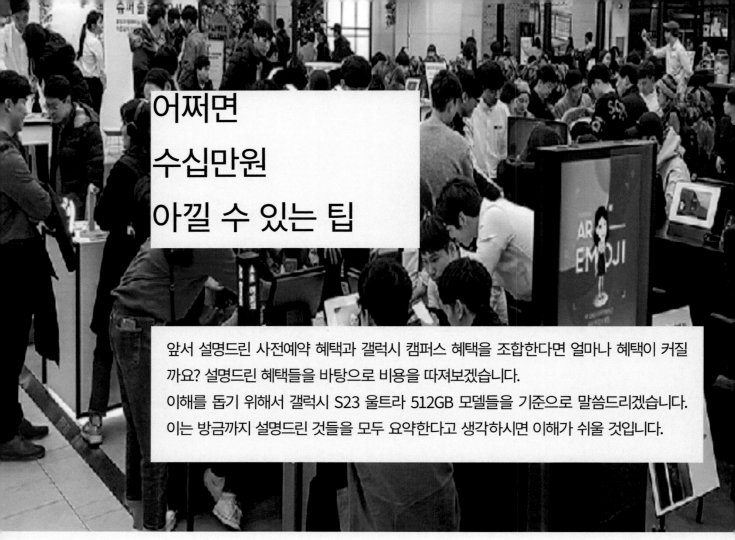

어쩌면 수십만원 아낄 수 있는 팁

앞서 설명드린 사전예약 혜택과 갤럭시 캠퍼스 혜택을 조합한다면 얼마나 혜택이 커질 까요? 설명드린 혜택들을 바탕으로 비용을 따져보겠습니다.

이해를 돕기 위해서 갤럭시 S23 울트라 512GB 모델들을 기준으로 말씀드리겠습니다. 이는 방금까지 설명드린 것들을 모두 요약한다고 생각하시면 이해가 쉬울 것입니다.

제공 삼성전자

먼저 사전예약 제도로 512GB 모델을 구매하려 한다면 256GB 모델을 구매하면 되기 때문에 기준가가 172만 400원에서 159만 9400원으로 낮아집니다. 거기에 말씀드린 사전예약 혜택들을 최대한 받는다면 총 37만원의 혜택을 받아 체감 가격이 135만 400원까지 낮아집니다. 여기에 갤럭시 캠퍼스 할인까지 받는다면(교육할인+삼성카드 할인) 36만 3400원을 할인받아 체감 가격은 98만 7000원까지도 낮아질 수 있습니다. 결과적으로 갤럭시 S23 울트라 512GB 모델의 가격 172만 400원이 98만 7000원까지도 줄어들 수 있는 것입니다.

물론 이는 받을 수 있는 혜택들을 최대한 적용한 값이기 때문에 상황에 따라서 금액에 차이가 있을 수 있습니다. 하지만 그럼에도 본래의 기준가보다 훨씬 저렴한 가격에 스마트폰을 구매할 수 있는 것은 확실합니다. 이처럼 휴대폰을 구매할 때 본인의 상황에 따라 본인이 얼마나 할인받을 수 있는지 고려하여 구매한다면 현명한 소비를 할 수 있을 것으로 기대됩니다.

갤럭시 23 Ultra 로 찍은 사진

갤럭시 23 Ultra 로 찍은 사진

갤럭시 10년차, 추천 셋팅법 알아보기

제공 : 삼성전자, 초기세팅

살면서 어떤 스마트폰들을 사용하셨나요? 어느덧 갤럭시라는 브랜드가 탄생한지도 10년이 넘는 세월이 흘렀습니다. 그만큼 갤럭시 스마트폰으로 많은 기종이 출시되었고, 발전 역시 많았습니다.

저 또한 많은 스마트폰을 사용했습니다.

더불어 갤럭시 스마트폰을 오랜 기간 사용했습니다. 그 기간 동안 갤럭시 S2 HD LTE, 갤럭시 노트 4, 갤럭시 S8+, 갤럭시 노트 10+, 갤럭시S23 Ultra 모델 등을 사용했고, 많은 발전을 경험했습니다.

지금부터는 갤럭시 스마트폰을 샀을 때 초기에 하면 좋은 설정들을 말씀드리려 합니다. 물론 인터넷을 서핑 하다 보면 초기 설정과 관련된 많은 정보들을 얻을 수 있습니다. 하지만 그 양이 많고 방대하여 어떤 것들을 적용하면 좋을지 많은 고민이 되는 것도 사실입니다. 지금부터 말씀드릴 설정들은 필자가 실제로 사용했고 가장 유용하다고 판단한 핵심들만 소개해 드리도록 하겠습니다. 혹시 자신의 사용 패턴과 적합하다면 한 번쯤 적용시켜 보시는 것을 권장 드립니다.

OOOOO만 잘 설정하면
스마트폰 질이 올라간다

스마트폰을 사용하면서 가장 많이 사용되는 부분은 무엇일까요? 아마 디스플레이일 것입니다. 카메라, 영상 시청, 웹서핑, SNS, 전자책 등 대부분의 기능은 디스플레이를 볼 때 사용이 가능합니다. 그렇다면 기왕 자주 사용하는 디스플레이를 자신의 눈에 맞게 설정해 주는 것이 좋지 않을까요?

가장 먼저 해상도를 변경할 수 있습니다.

갤럭시 스마트폰의 대부분은 HD+, FHD+까지 지원하고 일부 모델은 QHD+까지도 지원합니다. 그런데 일부 스마트폰의 경우 QHD+까지 지원함에도 기본으로 FHD+가 설정되어 있는 경우가 있습니다. 만약 본인이 원한다면 선명한 화질을 위해 해상도를 높이거나 혹은 배터리를 위해 해상도를 낮춰서 취향에 맞게 사용하면 됩니다.

*설정 -> 디스플레이 -> 화면 해상도

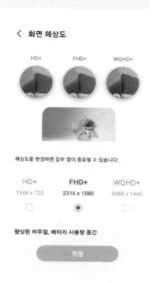

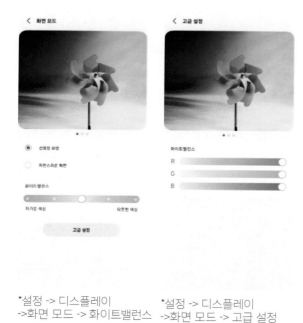

화면 모드 설정을 할 수 있습니다.

화면 모드에서는 선명한 화면과 자연스러운 화면 모드 중 선택하여 사용할 수 있습니다. 이 중 자신이 보기 좋은 화면으로 선택하면 됩니다. 선명한 화면 모드에서는 화이트밸런스를 조절하여 차가운 색상과 따뜻한 색상을 선택하는 옵션도 제공합니다. 거기에 선명한 화면 모드 중 고급 설정이 있는 모델은 RGB 값을 조절하여 취향에 맞게 화면 색감을 설정할 수 있습니다.

*설정 -> 디스플레이
->화면 모드 -> 화이트밸런스

*설정 -> 디스플레이
->화면 모드 -> 고급 설정

*설정 -> 디스플레이 -> 화면 모드

갤럭시 23 Ultra 로 찍은 사진

야간이나 어두운 곳에서는

다크 모드, 편안하게 화면 보기 설정하는 것을 추천합니다.

다크 모드를 사용하게 되면 흰색의 테마가 검은색으로 바뀌어 어두운 곳에서의 눈부심을 줄여줍니다. 편안하게 화면 보기 기능은 일종의 블루라이트 필터로 눈의 피로도를 줄여줍니다. 이 두 가지 설정은 직접 켜거나 특정 시간대에 저절로 켜고 꺼지도록 설정할 수도 있습니다.

설정 -> 디스플레이 -> 다크 모드 설정
설정 -> 디스플레이 -> 편안하게 화면 보기

갤럭시 노트 4로 찍은 사진

사진 찍고
애인에게
사랑받는 법

스마트폰이 출시될 때마다 많은 발전을 이루는 것에 무엇이 있을까요?

성능, 내구도 등 많은 부분들이 있겠지만 카메라를 꼽을 수 있을 것입니다. 초기의 스마트폰과 비교할 때 현재의 스마트폰은 카메라 성능이 비약적으로 발전했습니다. 새로운 스마트폰이 공개될 때마다 제조사에서는 카메라의 성능이 얼마나 대단한 지 소개합니다. 그만큼 카메라는 스마트폰에서 중요한 부분을 담당하고 있습니다.

이렇게 비약적으로 발전한 카메라를 잘 사용한다면 얼마나 좋을까요? 하지만 안타깝게도 사진을 원하는 만큼 잘 찍지 못하는 분들이 많이 계실 겁니다. 그렇다면 못 찍은 사진들의 공통점은 무엇일까요? 사진을 잘 찍는 방법에는 매우 많은 팁들이 있겠지만 못 찍은 사진들의 공통점은 대개 수평이나 구도가 맞지 않는다는 것입니다. 물론 틀어진 수평과 구도가 의도된 작품이라면 상관없습니다. 하지만 의도와 상관없이 수평이 맞지 않고 구도를 잡지 못한다면 이를 개선하는 것이 좋습니다. 수평과 구도만 잘 잡아도 사진은 이전보다 비약적으로 잘 찍을 수 있게 됩니다.

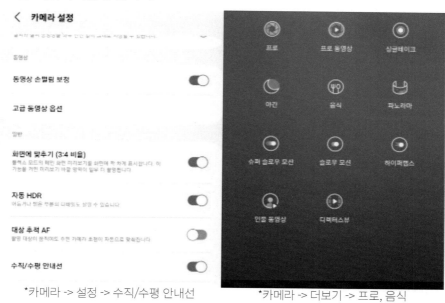

*카메라 -> 설정 -> 수직/수평 안내선   *카메라 -> 더보기 -> 프로, 음식

그렇다면 수평과 구도를 잘 잡기 위해서는 무엇을 해야 할까요?

바로 카메라 설정에서 '수직/수평 안내선'을 켜는 것입니다. 이 설정을 켜게 되면 카메라 화면에 격자무늬가 생기게 됩니다. 카메라 화면이 9개로 분할되어 수평과 구도를 잡기 훨씬 수월하게 됩니다. 격자를 기준으로 수평을 맞출 수 있고, 9개로 구성된 화면 중 피사체를 어느 부분에 배치하는지에 따라 같은 대상이라도 완전히 다른 사진을 연출할 수 있게 됩니다.

10년치 추억을 날릴 뻔한 이야기

서문에서 필자는 스마트폰이 우리의 일상 속 깊이 스며들어 있음을 말씀드렸습니다. 그런데 일상과 깊게 연결된 스마트폰을 사용할 수 없게 된다면 어떻게 될까요? 지금부터 말씀드릴 이야기는 필자가 실제로 겪은 사례입니다.

5월의 어느 날이었습니다. 스마트폰을 오랜만에 재부팅 시킨 필자는 비밀번호를 입력해야 했습니다. 스마트폰을 재부팅 시키게 되면 비밀번호를 입력해야 생체 인식을 사용할 수 있기 때문입니다. 그런데 문제가 생겼습니다. 평소 지문인식으로 잠금 해제하던 필자의 스마트폰이 비밀번호로 열리지 않는 것이었습니다. 필자는 문자와 숫자를 조합한 복잡한 비밀번호를 사용했는데 비밀번호가 헷갈리기 시작했고 계속해서 입력에 오류가 생겼던 것입니다. 그 결과 스마트폰의 비밀번호 입력 가능 시간은 분에서 시간으로 계속해서 늘어났습니다. 순식간에 저는 스마트폰이 없는 사람이 되었습니다. 임시로 쓸 스마트폰을 구할 동안 필자는 스마트폰을 사용할 수 없었습니다.

이 당시 어떤 기분이 들었을까요? 강제로 디지털 디톡스를 하게 되자 몹시 당황스러웠습니다. 스마트폰에 많은 부분이 의존되는 현대사회에서 스마트폰을 사용하지 못하자 마치 유인원이 된 기분이었습니다. 물론 스마트폰을 초기화 시키는 빠르고 쉬운 방법이 있었습니다. 하지만 필자의 스마트

폰에는 10년 넘게 찍은 8천장이 넘는 사진을 비롯해 많은 문서와 파일들이 있었습니다. 그렇기에 초기화만큼은 반드시 피해야 했습니다.

이런 상황을 대비해서 준비해야 할 설정이 바로 '원격 잠금해제' 활성화입니다. 이 설정을 활성화한다면 스마트폰이 네트워크에 연결되어 있을 때 다른 스마트폰이나 PC로 삼성 계정을 통해 스마트폰을 잠금 해제할 수 있게 됩니다. 또한 소리 울리기, 잠그기, 백업, 데이터 삭제, 위치 추적 등의 기능도 제공하기에 분실시에도 도움이 될 수 있습니다. 필자는 이러한 설정을 활성화하지 않아 스마트폰이 잠겼을 때 잠금 해제를 할 수 없었습니다. 다행스럽게도 며칠 후 비밀번호를 맞춰 스마트폰을 잠금 해제할 수 있었지만 만약 끝까지 잠금 해제를 하지 못했다면 결국 초기화를 했을 것입니다. 그리고 아마 스마트폰에 있는 파일들은 전부 삭제되었을 것입니다. 독자분들에게도 스마트폰을 분실하거나 비밀번호를 잊어버리는 등 예상하지 못한 상황이 발생할 수 있습니다. 그런 상황에 대비하여 독자분들께서는 미리 '원격 잠금해제'를 활성화하거나 중요 파일을 백업할 것을 권장 드립니다.

*설정 -> 생체 인식 및 보안 -> 내 디바이스 찾기 -> 이 휴대전화를 찾을 수 있도록 허용, 원격 잠금해제

노트 10 PLUS 로 찍은 사진

갤럭시 전용
0순위 어플, 굿락

굿락(Good Lock)은 갤럭시 기기에서 사용할 수 있는 커스터마이징 어플입니다. 굿락은 갤럭시 스토어(Galaxy Store)에서 다운로드할 수 있습니다. 굿락에는 많은 하위 어플이 있습니다. 각 어플은 저마다 다양한 커스텀 기능을 제공합니다. 이번 장에서는 가장 유용하다고 생각되는 어플 두 가지를 소개해 드리려 합니다. 두 가지 어플은 예시입니다. 만약 굿락을 둘러보시고 매력적인 어플을 찾으셨다면 이를 통해 자신에게 최적화된 갤럭시를 구성할 수 있을 것입니다.

손가락 움직이는 것도 귀찮은 사람은 필독

굿락의 첫 번째 추천 어플은 One Hand Operation+입니다. 해당 어플은 스마트폰의 한 손 사용을 쉽게 만들어주는 어플입니다. 과거의 스마트폰들은 3~4인치 대의 스마트폰이 대다수였습니다. 반면 현재의 스마트폰들은 5~6인치 대의 스마트폰이 대다수가 되었습니다. 물론 베젤의 크기가 줄어들었지만 그럼에도 스마트폰의 화면 크기 자체가 커졌기에 한 손 사용 시 손가락의 가동 범위가 늘어난 것이 사실입니다.

One Hand Operation+는 이를 위해 제스처 기능을 제공합니다. 스마트폰의 좌우 측면에 핸들을 생성하여 뒤로 가기, 홈, 메뉴, 화면 캡처, 음량 등을 작동할 수 있도록 만들어 줍니다. 즉, 스마트폰 하단에 있는 뒤로 가기, 홈 버튼 등을 누르기 위해 엄지를 많이 내려야 하는 수고를 덜어줍니다. 이 기능은 사용하는 스마트폰이 크거나 손이 작은 분들이 특히나 많은 도움을 받으실 수 있을 것입니다.

갤럭시로 '안읽씹'하는 법

굿락의 두 번째 추천 어플은 NotiStar입니다. NotiStar는 스마트폰에 오는 모든 알림들을 기록합니다. 그리고 이를 잠금 화면에서 확인할 수 있는 기능도 제공합니다. 가끔 일상을 살아가다 보면 답장하기에 여의치 않거나 충분히 생각한 후 답을 보내야 할 경우가 있을 수 있습니다. 그런데 갤럭시의 경우 어플 하나에 하나의 알림밖에 표시되지 않습니다. 가령 카카오톡으로 상대가 5개의 메시지를 보낸다면 마지막에 보낸 메시지만 확인 가능한 것입니다.

NotiStar는 이러한 문제점을 해결합니다. 알림이나 상대가 보낸 메시지들을 전부 표시하여 충분히 생각한 후 답장을 보낼 수 있도록 만들어줍니다. 게다가 알림을 표시할 어플만 따로 선택할 수 있고, 삭제된 메시지도 기록이 남아 확인할 수 있습니다. 또한 알림 보관 기간을 선택할 수 있습니다. 이를 통해 해당 기간이 지나면 알림이 저절로 삭제되어 불필요하게 알림이 쌓이는 것을 막는 기능을 제공합니다.

*안읽씹: '안 읽고 씹다'의 줄임말

갤럭시 S23 울트라로 찍은 사진

갤럭시 라인업, 상세하게 알려드림

앞선 내용에서 레전드 기기에서 살펴봤듯, 갤럭시 라인업에는 다양한 제품군이 존재했습니다. 이전에 갤럭시 브랜드에는 갤럭시 빔, 미니, 줌, 알파, 노트, 메가 등 다양한 기종들이 있었습니다. 하지만 현재에는 수많은 라인업들이 정리되었고 Z, S, 노트, A, FE 시리즈 정도로 축소되어 운영 중입니다.

먼저 프리미엄 라인업의 이름, 출시 시기, 그리고 특징에 대해 알아보겠습니다. 갤럭시 Z 시리즈는 2019년 2월 출시된 폴더블 스마트폰 라인업입니다. 현재는 가로형 폴더블 스마트폰인 '플립'과 세로형 폴더블 스마트폰인 '폴드'로 구분되고 있습니다. 갤럭시 노트 시리즈는 2011년 출시되어 2020년 '갤럭시 노트 20 시리즈'를 마지막으로 출시되지 않고 있습니다. S펜을 탑재하여 필기나 그림 그리기 등 다양한 작업을 할 수 있으며, 대화면과 높은 성능을 제공하여 사용자들에게 좋은 평가를 받았습니다. 갤럭시 노트 시리즈는 S22 시리즈부터 울트라 모델로 통합되었습니다. 갤럭시 S 시리즈는 2010년 출시되어 삼성 갤럭시의 오리지널 플래그십 스마트폰 라인업으로 자리매김했습니다. 오랜 전통을 가진 갤럭시 플래그십 모델로서 회사의 역량이 가장 잘 녹아 있는 라인업이라고 할 수 있습니다. 갤럭시 S 시리즈에서 사용자는 높은 성능과 다양한 기능을 경험할 수 있습니다.

저가라인으로는 A 시리즈와 FE 시리즈가 있습니다. 갤럭시 A 시리즈는 2010년 출시되어 전 세계에서 판매되고 있는 모델 중 하나로, 미드 레인지 라인업의 대표 모델이며 가격이 상대적으로 저렴하여 많은 사용자들에게 인기를 얻었습니다. 마지막으로 갤럭시 FE 시리즈는 팬 에디션(Fan Edition)의 약자입니다. 갤럭시 S 시리즈와 노트 시리즈의 파생 모델로서 감각적이고 내구성 있는 디자인과 향상된 카메라와 오디오 성능을 제공하였습니다. 플래그십 갤럭시를 좀 더 합리적인 가격에 경험할 수 있는 라인업이라고 할 수 있습니다.

▷ 갤럭시 S23 FE   ▷ 갤럭시 S23 Ultra

▷ 갤럭시 Z 플립5   ▷ 갤럭시 Z 폴드5

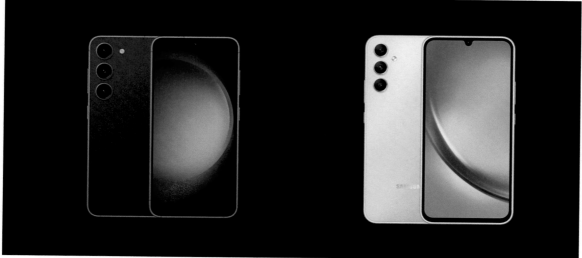

▷ 갤럭시 S23   ▷ 갤럭시 A34   제공: 삼성전자

서드파티 앱,
폰꾸 제대로 맛보기

현재 우리는 자신을 표현하는 시대에 살고 있습니다. 자기 자신을 표현하는 방법은 다양합니다. 주로 사람들은 옷, 액세서리, 헤어스타일 등과 같은 외적인 부분을 통해 자신의 개성을 드러냅니다. 그렇다면 스마트폰은 어떨까요?

제공: 삼성전자

이 섹션에서는 스마트폰을 자신의 취향대로 꾸밀 수 있는 일명 '폰꾸' 방법에 대해 소개하려고 합니다. 앞서 언급했듯이 스마트폰은 케이스나 악세서리 등으로 스마트폰을 꾸밀 수도 있습니다. 하지만 삼성은 갤럭시 스토어에서 제공되는 어플 Good Lock과 자체적으로 제공되는 Galaxy Themes를 통해 배경화면, 아이콘 등을 자신의 취향대로 커이제 더 이상 스마트폰 없이 세상을 살아가는 사람은 거의 없습니다. 즉, 스마트폰은 우리에게 필수품이자 생필품이 된 것입니다. 언제 어디서나 우리와 함께하는 스마트폰만큼 자신을 표현하기 좋은 수단도 없

습니다. 실제로 휴대폰 케이스, 키링, 그립톡 등으로 다양하게 스마트폰으로 개성을 나타냅니다. 특정 작가의 그림으로 제작된 케이스의 경우에는 프리미엄 케이스로 그 가치가 인정되어 값비싸게 팔리고 있습니다. 이제는 스마트폰도 자신을 나타낼 수 있는 하나의 방법이 된 것입니다.

앞서 파트 5 '갤럭시 10년 넘게 쓴 사람이 추천하는 초기 세팅'에서는 Good Lock에 대해 간략하게 소개해드렸습니다. 이번 챕터에서는 그 Good Lock을 좀 더 적극적으로 활용하여 스마트폰을 꾸며 보도록 하겠습니다.

나만의 개성 있는 스마트폰 만들기

제공: 삼성전자

Good Lock

① LockStar

잠금 화면 및 AOD 화면 꾸미기 기능

이 기능에서는 시계의 디자인 및 크기 선택뿐만 아니라 원하는 항목 노출, 알림 표시 유형 및 색상과 크기 조절, 잠금 화면 자동 꺼짐 시간 조절 등을 할 수 있습니다. 그뿐만 아니라 스티커를 추가함으로써 자신이 원하는 방향대로 잠금 화면을 꾸밀 수도 있습니다.

② Keys Café

나만의 키보드와 스티커 만들기

키보드에 필요한 키를 추가하고 배치를 변경할 수 있으며 키 별로 크기도 조절할 수 있습니다. 색상, 효과, 소리를 추가하여 새로운 키보드 제작이 가능합니다. 이미지와 Gif 파일로 스티커를 제작하여 채팅에서 사용할 수 있는 나만의 스티커도 만들 수 있습니다.

③ 테마파크

배경 이미지로부터 테마 제작하기

자신이 선택한 배경화면을 기반으로 자동 추천된 색상을 이용하거나 직접 원하는 색상을 선택하여 테마를 제작할 수 있습니다. 취향에 따라 앱이나 기능에 따라 다르게 색상을 변경할 수도 있습니다.

④ 원더랜드

움직이는 배경화면 제작하기

배경 이미지에 모션 효과를 부여하여 역동적인 배경화면을 제작할 수 있습니다. 또한 그라데이션 효과, 파티클 효과, 3D 효과 등 다양한 효과를 추가할 수 있습니다.

갤럭시 23 Ultra 로 찍은 사진

폴더블, 미래를 펼치다.

한국 시각 2019년 2월 21일, 세계 최초 인폴딩 폴더블 스마트폰이 공개되었습니다. 기존 바형 스마트폰이 대다수인 시장에서 새로운 폼 팩터를 가진 스마트폰이 등장한 것입니다. 본래 삼성에서는 상반기에는 갤럭시 S 시리즈를, 하반기에는 갤럭시 노트 시리즈를 시장에 공개했습니다. 하지만 2020년 갤럭시 노트 20 시리즈를 마지막으로 갤럭시 노트 시리즈는 단종되었습니다. 이후 삼성의 하반기 메인 스마트폰의 자리는 폴더블 스마트폰 Z 시리즈로 대체되었습니다. 그만큼 폴더블은 삼성에게 중요한 위치를 차지한다고 할 수 있습니다.

삼성의 폴더블 스마트폰이 시간이 흘러 어느덧 5세대 제품까지 출시되었습니다. 폴더블 스마트폰은 출시 초기의 프로토타입 같은 모습과 달리 5세대가 되며 많은 개선을 이루었습니다. 어느덧 우리 주변에도 폴더블 스마트폰을 사용하는 사람들을 자주 볼 수 있게 되었습니다. 이번 장에서는 삼성의 폴더블 스마트폰이 가진 장점과 앞으로 개선되어야 할 방향에 대해 다루고자 합니다. 이를 통해 폴더블 스마트폰을 고민하시는 분들은 향후 구매 결정에 도움을 받으실 수 있으리라 기대합니다.

그래서 접어서 어디다 쓰죠?

갤럭시 Z 폴드 VS 갤럭시 Z 플립

삼성의 갤럭시 Z 시리즈는 두 가지 라인업으로 나누어집니다. 하나는 갤럭시 Z 폴드 시리즈이고, 다른 하나는 갤럭시 Z 플립 시리즈입니다. 이 두 라인업은 같은 폴더블 스마트폰임에도 불구하고 서로 다른 폼 팩터를 가졌고 그 활용도 역시 다릅니다.

하지만 공통적으로 두 스마트폰은 커버 디스플레이와 메인 디스플레이라고 불리는 두 개의 화면을 가지고 있습니다. 물론 두 시리즈 모두 초창기에는 커버 디스플레이의 크기가 작아 활용이 제한적이었습니다. 하지만 5세대에 걸쳐 발전을 거듭한 두 시리즈는 커버 화면의 크기도 커졌습니다. Z 플립 시리즈의 경우 5세대 모델에서 3.4인치의 플렉스 윈도우가 탑재되었고, Z 폴드 시리즈의 경우 2세대 모델부터 6.2인치의 커버 화면을 탑재했습니다. 즉, 반드시 펼치지 않고도 사용할 수 있도록 활용도가 올라가게 된 것입니다.

또한 두 시리즈 모두 프리스탑 힌지를 탑재한 것이 특징입니다. 디스플레이가 맥없이 펴지고 접히는 것이 아닌 일정한 힘을 받아야 닫히고 열립니다. 따라서 바닥에 놓고 사용했을 때 각도를 조절하여 사용할 수 있는 것이 장점입니다. 또한 이러한 사용성을 극대화하기 위해 플렉스 모드라는 맞춤 인터페이스를 지원하여 활용도를 끌어올린 것이 특징입니다.

Z 폴드 VS Z 플립

게다가 Z 폴드 시리즈는 커버 화면의 크기가 크기 때문에 항상 펼쳐서 사용하지 않아도 됩니다. 분명 초기 모델인 갤럭시 폴드의 경우 커버 화면이 4.6인치로 요즘 사용하기에 많이 작은 감이 있었습니다.

다음으로는 시리즈 별 특징을 설명드리겠습니다. 먼저 갤럭시 Z 폴드 시리즈의 경우 무엇보다 큰 화면이 장점입니다. 이전에도 7인치가 넘는 화면이 큰 스마트폰들은 있었습니다. 하지만 그 크기가 너무 거대하여 휴대가 어려웠고 사실상 휴대전화로 사용하기에 적합하지 않았습니다. 그런데 갤럭시 Z 폴드 시리즈의 경우 접을 수 있기 때문에 큰 화면의 휴대성이 대폭 올라가게 되었습니다. 7인치 중반대의 화면을 주머니에 휴대하여 들고 다닐 수 있다는 것은 분명히 매력적입니다. 또한 Z 폴드 시리즈는 멀티태스킹을 할 때 진가가 나옵니다. Z 폴드 시리즈는 출시 초기부터 대화면의 활용성에 대해 많은 고민을 했고 멀티태스킹 기능을 발전시켜 왔습니다. 이러한 용도에 맞춰 갤럭시 Z 폴드3부터는 S펜을 지원하게 된 것도 특징입니다. 따라서 Z 폴드 시리즈는 여러 가지 어플을 동시에 사용하거나 큰 화면으로 E북, 영상, 웹서핑 등을 원하는 사람이라면 고려해 볼 수 있는 선택지입니다.

하지만 2세대 이후의 갤럭시 Z 폴드 시리즈는 커버 화면으로 6.2인치를 채택하여 화면을 열지 않고도 충분히 사용할 수 있을 만큼 그 활용도가 개선되었습니다.

다음은 갤럭시 Z 플립 시리즈입니다. 갤럭시 Z 플립 시리즈의 경우도 6.7인치의 화면을 접어서 아담한 사이즈로 휴대 가능하다는 것이 큰 장점입니다. 하지만 Z 플립 시리즈는 디자인적으로 더 강점이 있습니다. 분명히 예쁨의 기준이나 디자인에 대한 평가는 주관적인 부분입니다. 하지만 Z 플립 시리즈가 디자인적으로 인기를 얻고 있고, 많은 이들에게 호평을 받고 있는 것은 사실입니다. 또한 커버 화면 역시 여러 세대를 거쳐 커지면서 활용도가 많이 올라갔습니다. 커버 화면에서 다양한 위젯을 활용 가능하고 제어가 가능합니다. 커진 커버 화면은 후면 카메라를 활용한 셀피를 찍는 데도 도움을 줍니다. 화면 내부에 있는 전면 카메라보다 더 좋은 화질의 후면 카메라를 활용해 커버 화면을 보며 촬영할 수 있는 것입니다.

그럼에도 폴더블이 망설여지는 이유

앞서 설명했듯 폴더블 스마트폰은 상당한 매력을 지닌 제품군입니다. 폴더블 스마트폰은 일반 바형 스마트폰에서 경험해 본 적 없는 경험을 체험할 수 있습니다. 어느덧 5세대가 되며 전체적으로 안정화되고 많은 발전을 거듭한 것이 사실입니다.

그러나 아직 폴더블 스마트폰에 입문하기 망설여지는 부분도 존재합니다. 지금부터는 그 이유에 대해 말씀드리고자 합니다. 공통적으로 폴더블 스마트폰의 내구성에 대한 우려입니다. 물론 폴더블 스마트폰은 세대를 거듭하며 방수 기능을 탑재하기도 했고, 힌지 구조를 변경하여 내구성을 높이기도 했습니다. 하지만 그럼에도 여전히 장기간 사용 시 필름 들뜸 현상이 발생하거나 추운 날씨에 내부 액정이 갑자기 갈라졌다는 사례를 찾아볼 수 있습니다. 이러한 우려를 방지하기 위해 삼성전자는 삼성케어플러스로 보상을 받을 수 있도록 하거나 소비자의 과실이 없다고 판단되면 무상수리를 진행하기도 합니다. 하지만 그럼에도 사용하던 스마트폰이 갑자기 고장 날 수 있다는 우려는 존재하기에 이를 위해 내구도를 더 개선하고 방진 기능을 탑재하는 등의 노력이 필요해 보입니다.

갤럭시 Z 폴드 시리즈의 경우 가격에 다소 부담이 있습니다. 갤럭시 Z 폴드 5 256GB 모델의 경우 출고가가 209만 9700원입니다. 256GB 모델이 가장 저렴한 모델이고 용량을 높일수록 가격은 더 올라갑니다. 스마트폰의 가격이 200만원이 넘는 것은 아쉬운 부분이 될 수 있습니다. 또한 무거운 무게 역시 망설여지는 이유입니다. 물론 Z 폴드 시리즈는 세대를 거듭하며 지속적으로 경량화가 되었고 갤럭시 Z 폴드 5의 경우 253g으로 이전보다 많이 가벼워졌습니다. 하지만 그럼에도 여전히 손이 작거나 힘이 약한 사람이 쓰기에는 부담이 있는 무게이므로 지속적인 경량화가 필요할 것입니다.

갤럭시 Z 플립 시리즈의 경우 그 활용도에 대한 고민이 더 필요해 보입니다. 갤럭시 Z 폴드 시리즈의 경우 바형 스마트폰 대비 압도적인 화면 크기로 접는다는 이점이 분명히 존재합니다. 반면 갤럭시 Z 플립 시리즈의 경우 바형 스마트폰 대비 화면 크기에서 크게 우위를 점하지 못하고 있고, 대부분의 기능은 바형 스마트폰에서도 가능합니다. 물론 폴더블의 이점을 살리기 위한 노력이 계속해서 이루어지고 있기에 시간이 지나면 좀 더 매력적인 기기가 될 수 있을 것으로 기대됩니다.

지금까지 폴더블 스마트폰의 특성과 장점, 그리고 개선 방향에 대해 살펴보았습니다. 계속해서 언급하지만 폴더블 스마트폰은 지속적으로 내구도, 무게, 활용도에 대한 개선이 이루어지고 있기에 향후 출시될 폴더블 스마트폰은 더더욱 발전할 것입니다. 폴더블 스마트폰이 가진 장점과 아쉬운 점들을 종합적으로 고려하여 구입을 고민한다면 보다 만족스러운 소비를 할 수 있을 것으로 기대합니다.

갤럭시와 함께한 인생 스토리
기억 속의 갤럭시

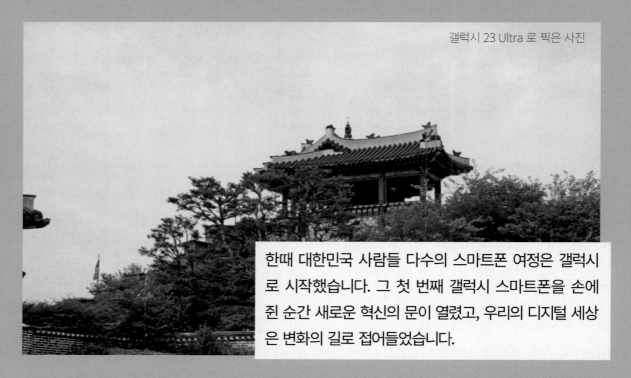

갤럭시 23 Ultra 로 찍은 사진

한때 대한민국 사람들 다수의 스마트폰 여정은 갤럭시로 시작했습니다. 그 첫 번째 갤럭시 스마트폰을 손에 쥔 순간 새로운 혁신의 문이 열렸고, 우리의 디지털 세상은 변화의 길로 접어들었습니다.

첫 번째 갤럭시와 함께한 순간은 어떠셨나요? 그 감각, 그 순간의 설렘, 그 기대감은 여전히 기억 속에 남아있을 것입니다. 우리가 갤럭시와 함께한 그때 그 시절, 우리의 디지털 세상은 새로운 차원으로 나아가기 시작했습니다. 우리는 갤럭시를 통해 많은 특별한 순간을 기록했습니다. 어린 딸의 첫걸음, 아들의 운동회, 가족의 휴가, 그리고 친구들과 함께 한 모임 등 갤럭시는 모든 순간을 아름다운 추억으로 간직하게 해주었습니다. 갤럭시는 우리의 일상 또한 더욱 효율적으로 만들어주었습니다. 스마트폰의 빠른 성능은 업무나 학업에 도움이 되었고, 앱과 서비스는 우리의 삶을 더 편리하게 만들어 주었습니다. 영화나 게임을 즐기는 새로운 방식을 제공했고, 새로운 모델이 출시될 때마다, 우리는 기대와 함께 더 나은 경험을 할 수 있었습니다. 오늘날 갤럭시는 우리의 일상에서 빼놓을 수 없는 동반자가 되었습니다.

처음 부모님이 핸드폰을 사주신 날

초등학교 5학년 때였다. 아직 핸드폰이 없던 나는 좋은 성적을 받으면 핸드폰을 사주신다는 부모님의 말씀에 열심히 공부를 했다. 주변 친구들은 다 가지고 있는 핸드폰을 나도 꼭 가지고 싶었기 때문이다. 열심히 노력한 결과 나는 시험에서 올백!을 맞을 수 있었다. 성적표를 들고 부모님께 갔을 때 부모님의 표정을 잊을 수가 없다. 정말 엄청 기뻐하시면서 그날 바로 부모님의 손을 잡고 갤럭시 스마트폰을 구매하러 갔다. 시간이 많이 지났지만 그 당시 처음 얻은 갤럭시 스마트폰으로 친구들과 밤새 연락도 하고 심심할 때 게임도 하던 추억들은 여전히 내 가슴속에 깊게 남아있다.

추억의 패턴 설정

요즘 핸드폰은 지문인식, 얼굴인식으로 잠금화면이 구성되어 있어 패턴을 쓰는 경우가 거의 없습니다. 하지만 옛날에는 비밀번호 아니면 패턴으로 잠금화면을 설정했기 때문에 정말 기상천외한 패턴들이 많이 있었습니다. 별모양 패턴, Z 패턴, 미로 패턴 등 그 종류는 다양했는데요. 어떤 사람들은 패턴을 통해 자신의 개성을 드러내는 경우도 있었습니다. 아래 페이지를 통해 직접 패턴을 그려보면서 추억을 떠올려보세요!

추억의 패턴.
무슨 모양까지 해보셨나요?

추억의 탈착식 배터리

한때 네이버 지식인에서 화제가 된 글이 있었습니다. 바로 초등학생이 과학 숙제로 배터리 교체가 가능한 스마트폰을 기획한 것입니다. 어느 순간부터 대부분의 스마트폰 배터리는 탈착식에서 일체형으로 변화했습니다. 그러다 보니 초등학생에게 스마트폰의 배터리란 교체가 불가능한 것이 상식이었겠지요. 하지만 본래 대부분의 스마트폰 배터리는 교체가 가능했었습니다. 배터리를 2개씩 가지고 다니던 기억, 배터리 1개는 배터리 거치대에 충전하고 다른 하나는 스마트폰에 넣어 사용하던 기억이 한 번쯤은 있을 것입니다. 가끔 스마트폰의 배터리가 부족할 때면 '예전처럼 배터리를 교체할 수 있으면 좋을 텐데~'라는 생각이 들기도 합니다. 여러분도 그런 추억이 있으신가요?

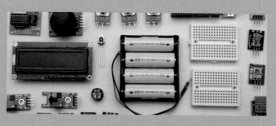

홈 버튼이 없어졌을 때

한때 우리가 생각하던 갤럭시는 어떤 모양이었나요?
아마 화면 외부로 뻗어있는 '메뉴-홈-백', 혹은 '멀티태
스킹-홈-백' 키가 기억나실 겁니다. 하지만 갤럭시 S8
시리즈를 기점으로 이는 변화하게 됩니다. 바로 인피니
티 디스플레이라 불리는 베젤리스 디자인을 추구하게
되면서 기존의 형태가 소프트 키와 제스처로 대체된
것입니다. 처음에는 이런 형태가 어색한 사람들도 있었
지만 어느새 모두 익숙해졌고, 덕분에 넓은 화면을 활
용할 수 있게 되었지요. 이런 소프트키의 모습이 앞으
로 어떻게 더 발전하게 될까요?

DMB 안테나, 액세서리 스트랩, 플립 커버 & S뷰커버 케이스

현재 갤럭시 스마트폰은 아주 깔끔한 디자인을 자랑합니
다. 테두리, 뒷면, 디스플레이까지 아주 매끈한 모습을 보
여줍니다. 하지만 과거의 갤럭시는 어땠을까요? 과거의 갤
럭시는 지금 봤을 때 현재의 갤럭시보다 기능에 좀 더 초
점을 맞춘 듯합니다. 대표적으로 DMB 안테나가 있을 것
입니다. TV 매체의 영향력이 지금보다 컸던 과거에는 많
은 사람들이 DMB를 시청했습니다. 스마트폰의 상단이나
하단에 있는 안테나를 잡아당기면 안테나가 길게 늘어나
DMB를 시청할 수 있었죠. 점차 시간이 지나며 DMB의 인
기가 시들었지만 우리의 기억 속에 있는 과거 스마트폰들
의 특징 중 하나입니다.

또 외관적 특징으로 스트랩을 걸 수 있는 부분이 있습니다.
과거 갤럭시 기종 중에는 스마트폰의 측면이나 배터리 커버를 벗기면 스트랩을 장착할 수 있었습
니다. 스트랩을 통해 여러 가지 액세서리를 장착할 수 있었고, 이를 통해 본인만의 개성을 나타낼
수도 있었습니다.

하지만 단순히 스마트폰 자체의 외형으로만 추억을 되짚을 수 있는 것은 아닙니다. 그렇다면 갤
럭시만의 아이덴티티가 잘 드러나는 것으로 또 무엇이 있을까요? 바로 플립 커버와 S뷰커버 케이
스입니다. 삼성에서 공식적으로 출시한 이 케이스들은 한때 유행을 만들었습니다. 갤럭시가 만들
어낸 해당 케이스들은 다른 제조사들이 따라 하게 만드는 퍼스트 무버 같은 존재였습니다. 이러
한 케이스들은 현재에도 LED 뷰케이스나 스마트 클리어 뷰커버 등으로 계승되어 역사를 이어나
가고 있습니다.

추억 속의 갤럭시, 갤럭시 레전드 기기 특집

앞서 말씀드렸듯이 갤럭시 브랜드가 세상에 나온 지 어느덧 10년이 훌쩍 넘었습니다. 그러한 세월 속에서 수많은 갤럭시가 탄생했고, 소비자들에게 사랑받았습니다. 누군가는 학창 시절을, 누군가는 대학시절을, 누군가는 신혼생활을 갤럭시 기기와 함께 보냈을 것입니다.

이번 장에서는 우리의 기억 속에 있을 추억 속의 갤럭시, 그중에서도 우수한 평가를 받았던 레전드 기기들에 대해 말씀드리고자 합니다. 물론 이는 필자의 주관이 다소 포함되어 있습니다. 아마 나열된 기기들을 보시고 "이것보다는 ~가 더 레전드 기기 아닌가?" 하실 수도 있습니다. 이번 챕터는 우리의 기억 속에서 갤럭시가 왜 사랑받았는지에 대해 한 번쯤 생각해 보고자 합니다. 따라서 폰의 우열에 대해 가리기보다는 각자가 생각하는 레전드 기기가 무엇인지, 자신은 갤럭시와 어떤 추억을 갖고 있는지 되새긴다면 의미 있는 챕터가 될 것입니다.

2011: 전설의 좀비 폰, 갤럭시 S2

첫 번째 레전드 기기는 2011년에 출시된 갤럭시 S시리즈의 2세대 모델, 갤럭시 S2입니다. 갤럭시 S2는 이전의 갤럭시 S1보다 커진 4.3인치 화면, 800만 화소 카메라, 강력한 듀얼코어 성능, 우수한 내구성 등으로 당시 많은 이들에게 사랑받았습니다.

특히나 갤럭시 S2는 내구성에서 많은 호평을 받았습니다. 비록 현세대의 스마트폰들처럼 방수나 방진 기능이 탑재된 것은 아니었지만 리뷰어들의 수많은 내구성 테스트에서 우수한 성적을 거두어 좀비 폰이라는 별명을 얻기도 했습니다. 또한 강력한 성능으로 사후 지원도 문제없이 받았으며, 오랜 기간 동안 실사용하기에 문제가 없는 퍼포먼스를 보여주었습니다. 종합적으로 갤럭시 S2는 갤럭시 전성기의 시작으로 평가되며, 당시 기준으로 크게 아쉬운 점이 없는 스마트폰으로 평가받았습니다.

2012: 대화면 전성시대, 갤럭시 노트 2

두 번째 레전드 기기는 2012년에 출시된 갤럭시 노트 2입니다. 2011년 하반기 삼성은 갤럭시 노트를 선보이며 패블릿(스마트폰+태블릿) 시장을 활성화시켰습니다. 물론 갤럭시 노트 출시 이전에도 5인치를 넘는 대화면(당시 기준) 스마트폰은 존재했지만 갤럭시 노트의 성공 이후 본격적으로 대화면 스마트폰 시대가 시작된 것이 사실입니다.

갤럭시 노트 2는 이러한 수요에 맞춰 전작의 아쉬움들이 보완되고 발전한 형태로 등장했습니다. 갤럭시 S3를 계승한 조약돌 형태의 디자인, 전작보다 커진 16:9비율 5.5인치 대화면, 3,100mah 대용량 배터리, 크고 손에 쥐기 편한 형태로 바뀐 S펜, 대화면의 활용성 향상을 위한 멀티태스킹 기능과 S펜 기능 추가 등으로 갤럭시 노트 시리즈의 인기를 견인해 나갔습니다. 비록 갤럭시 노트 시리즈는 갤럭시 노트 20 시리즈를 끝으로 단종되었습니다. 하지만 노트 시리즈는 S 시리즈 울트라 모델에 S펜이 삽입되는 형태로 편입되어 여전히 우리의 스마트 라이프를 함께 하고 있습니다.

2017: 완성이자 새로운 시작, 갤럭시 S8 시리즈

세 번째 레전드 기기는 2017년에 출시된 갤럭시 S8 시리즈입니다. 해당 시리즈가 레전드 기기에 뽑힌 이유는 폼팩터의 변화, 디자인적인 요소가 크게 작용합니다. 갤럭시 S8 출시 이전의 갤럭시는 절대다수의 기기가 물리 홈버튼을 사용했고 넓은 베젤을 보여주었습니다. 하지만 갤럭시 S8에서 변화가 일어납니다. 바로 물리 홈버튼을 소프트키로 대체하여 이전과 달리 베젤을 매우 많이 줄여 몰입감을 높인 것입니다. 또한 갤럭시 S6부터 이어져

온 후면 유리 소재 사용과 엣지 디스플레이 사용으로 디자인적으로도 아주 우수한 모습을 보여줍니다. 갤럭시 S8 시리즈는 기본기 역시 튼튼했습니다. 지문인식과 더불어 홍채인식을 보안 옵션으로 함께 제공했고, 현재는 사라진 마이크로 sd카드 슬롯과 3.5mm 이어폰 단자를 지원했습니다. 게다가 전작 갤럭시 S7 시리즈에 탑재되었던 5핀 단자가 C타입 단자로 변화되어 편의성을 더하기도 했습니다. 또한 현 세대 갤럭시 기기에도 탑재되는 빅스비 역시 갤럭시 S8 시리즈와 함께 등장했기에 제법 근본 있는 기기라고 할 수 있습니다. 물론 갤럭시 S8 시리즈를 향한 아쉬움의 목소리도 존재했습니다. 액정 품질과 관련하여 이슈가 있기도 했고, 듀얼 카메라와 스테레오 스피커가 탑재되지 않아 아쉬움을 표현하는 목소리도 있었습니다.

하지만 전작보다 더 발전된 모습과 함께 현 세대 갤럭시에도 많은 영향을 주었을 요소들이 다수 포함되었기에 갤럭시 브랜드에 의미 있는 기기로 기억될 수 있을 것입니다.

마치며

영국의 SF 소설가 아서 C. 클라크는 "충분히 발달한 기술은 마법과 구별할 수 없다(Any sufficiently advanced technology is indistinguishable from magic)"라고 말했습니다. 우리는 어느새 스마트폰을 활용해서 마법과 같은 일상을 누리고 있습니다. 언제 어디서나 보고 싶은 사람에게 연락을 하고, 궁금한 것을 찾아보고, 추억을 사진으로 남기거나 실시간으로 공유하는 것은 과거의 사람들이 보기에 마법처럼 보일 것입니다.

이 책자는 사람들이 이러한 마법을 좀 더 잘 활용했으면 하는 마음에서 서술되었습니다. 누구에게나 스마트폰이 있는 시대에 누군가는 잘 활용하는 반면 누군가는 그렇지 못한다면 안타까운 일일 것입니다. 현재 개발된 기술을 잘 활용하는 사람들이 많아지고 관심을 가질 때 기술 역시 더 발전할 수 있을 것입니다. 스마트 기술은 우리의 삶을 송두리째 바꾸었습니다. 이러한 기술에 조금 더 관심을 갖는다면 우리의 일상은 더 스마트해질 수 있을 것입니다. 이 글을 읽어 주신 독자분들의 일상이 기술을 통해 조금 더 스마트하고 편리해지길 기원합니다.

갤럭시 22 Ultra 로 찍은 사진

CONTRIBUTORS

백신영/Editor

책이 나오기까지 가장 큰 고민은 "과연 이 책이 읽힐 수 있을까?" 라는 지점이었습니다. 책을 통해 어떠한 정보를 전달하기보다 독자와 소통하고자 했던 마음으로 이 책을 만들 수 있었습니다. 어떠한 디자인과 기능보다 더 중요한 것은 그 속에 담긴 메시지라는 철학으로 저 또한 갤럭시를 사용하는 찐팬으로서 기능을 담는데 집중했습니다. 이 책을 통해 여러분의 삶에서 갤럭시로 인해 즐거움을 아는데 한 걸음 다가갈 수 있는 기회가 되었으면 좋겠습니다.

손원빈/Editor

처음 이 책을 기획할 때 걱정과 설렘을 같이 안고 시작했습니다. 직접 책을 만드는 과정을 겪어보니 생각보다 고려해야 할 점이 많았고 다양한 문제점과도 부딪히게 됐습니다. 하지만 이런 좋은 기회를 놓칠 수 없다는 생각으로 최선을 대해 열심히 마무리했습니다. 어려운 프로젝트였지만 팀원들과 함께였기에 무사히 끝낼 수 있었던 것 같습니다. 감사합니다. 부디 이 책이 당신의 갤럭시 생활에 별 같은 빛이 될 수 있기를 바랍니다.

이연재/Editor

이 책을 쓰면서 저희 팀은 많은 어려움과 도전에 부딪혔습니다. 내용의 구성, 사진 선택, 그리고 디자인까지 모두 다 처음 해보는 과정이었지만 정말 많이 배울 수 있는 시간이었습니다. 어려움들을 함께 극복하며 저희의 열정과 고민 끝에 이 책을 완성할 수 있었습니다. 각자 맡은 부분에서 최선을 다해준 팀원들에게 감사의 말씀을 전하고 싶습니다. 이 책을 통해 갤럭시의 매력을 전하고자 노력했는데, 이 책이 여러분의 갤럭시 생활에 도움이 되고 새로운 경험을 선사할 수 있기를 기대합니다.

유재혁/Editor

책을 쓰면서 많은 것들을 경험할 수 있었습니다. 처음 책을 기획할 때부터 완성된 현재까지 수많은 콘텐츠에 관한 논의가 있었고, 수많은 수정이 있었습니다. 팀원들과 각자 역할을 분담하여 맡은 역할을 해냈고 결국 책을 완성할 수 있었습니다. 아무것도 없는 상황에서 최종 완성까지 가는 여정을 거치며 창조물을 대하는 자세, 창조물을 만드는 것의 어려움을 느낄 수 있었습니다. 결코 혼자서는 짧은 시간에 할 수 없는 작업이었으며, 팀원들이 없었다면 불가능했을 것입니다. 책을 완성하는데 고생한 팀원들에게 감사하며 그들의 노고에 박수를 보냅니다.

Would you
All About Galaxy (갤럭시의 모든 것)

발 행 | 2024년 01월 03일
저 자 | 팀 우주 (백신영, 손원빈, 유재혁, 이연재)
펴낸이 | 한건희
펴낸곳 | 주식회사 부크크
ISBN | 979-11-410-6364-1
출판사등록 | 2014.07.15(제2014-16호)
주 소 | 서울특별시 금천구 가산디지털1로 119 SK트윈타워 A동 305호
전 화 | 1670-8316
이메일 | info@bookk.co.kr
www.bookk.co.kr
ⓒ 팀 우주 2024